Malbuch

Der kleine Rosenkranz zum Prager Jesuskind

fe

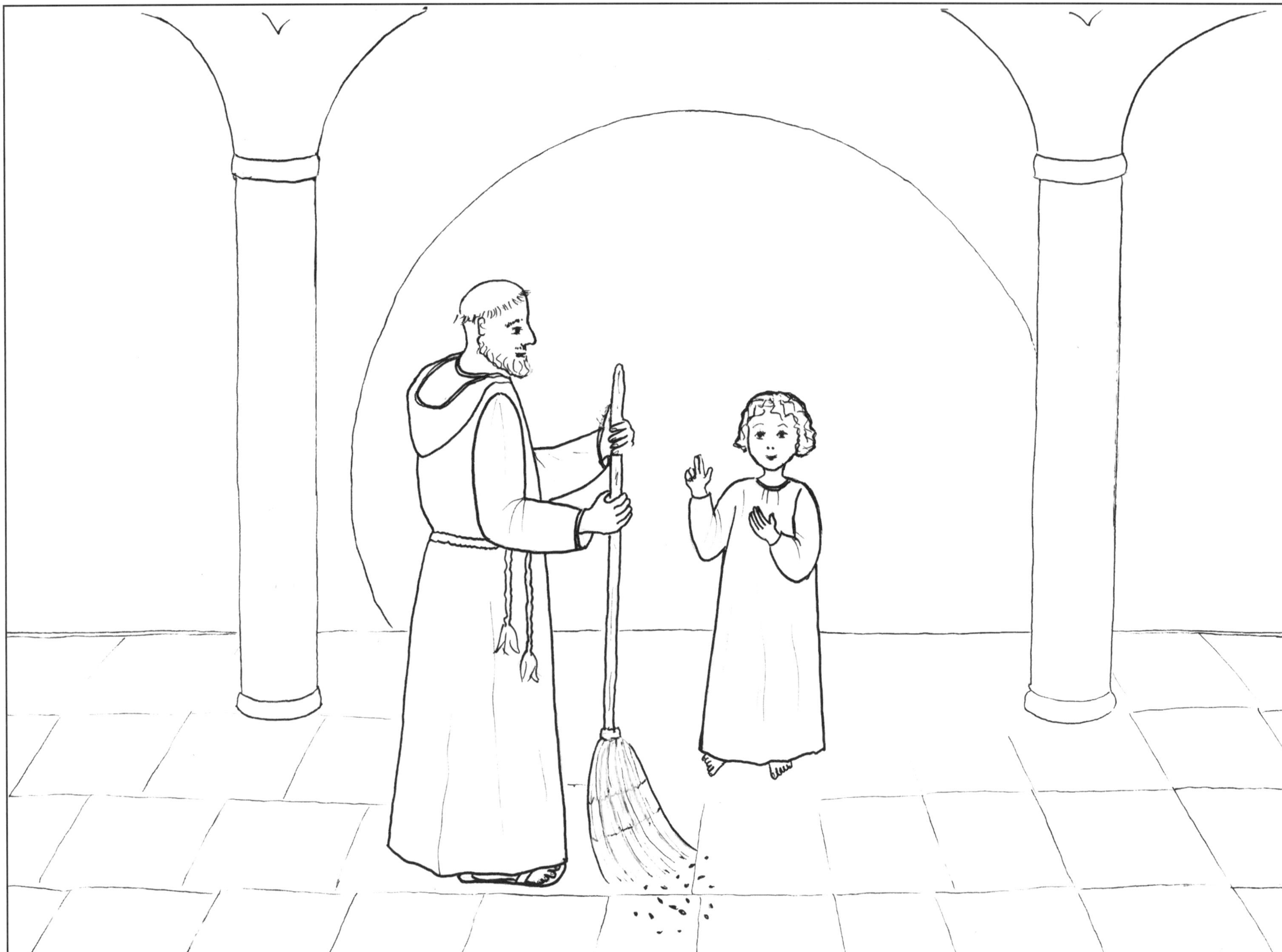

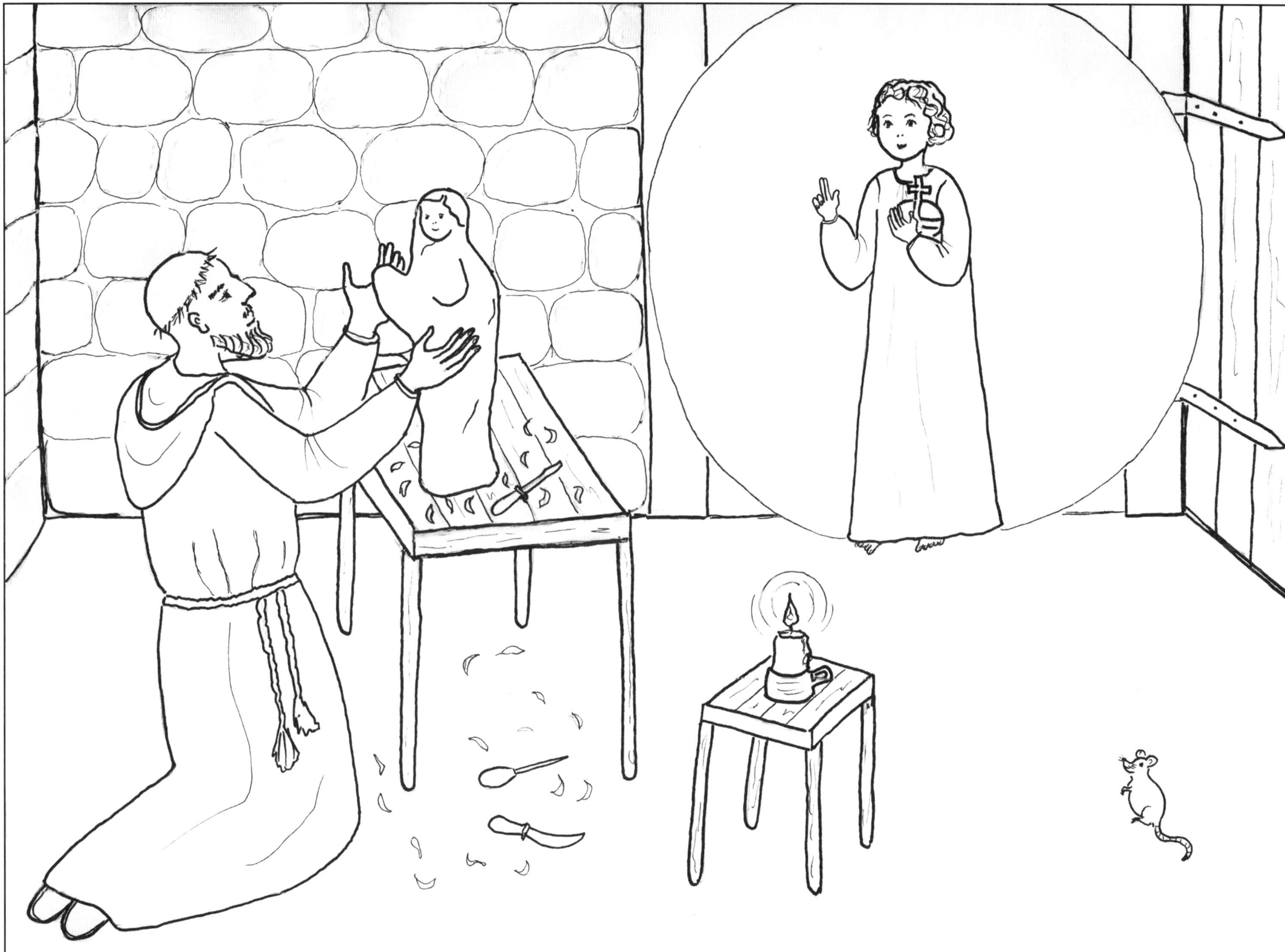

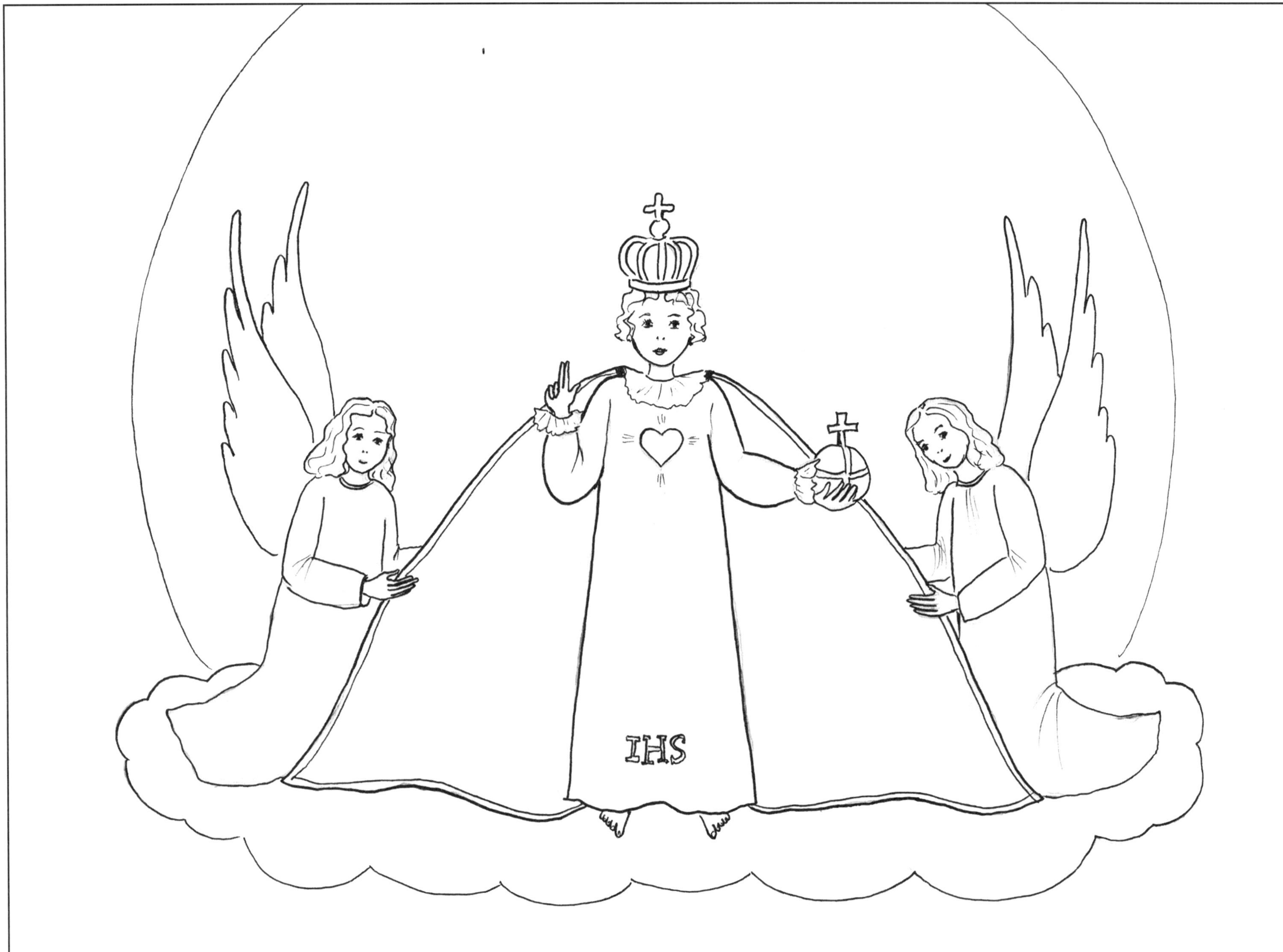
IHS

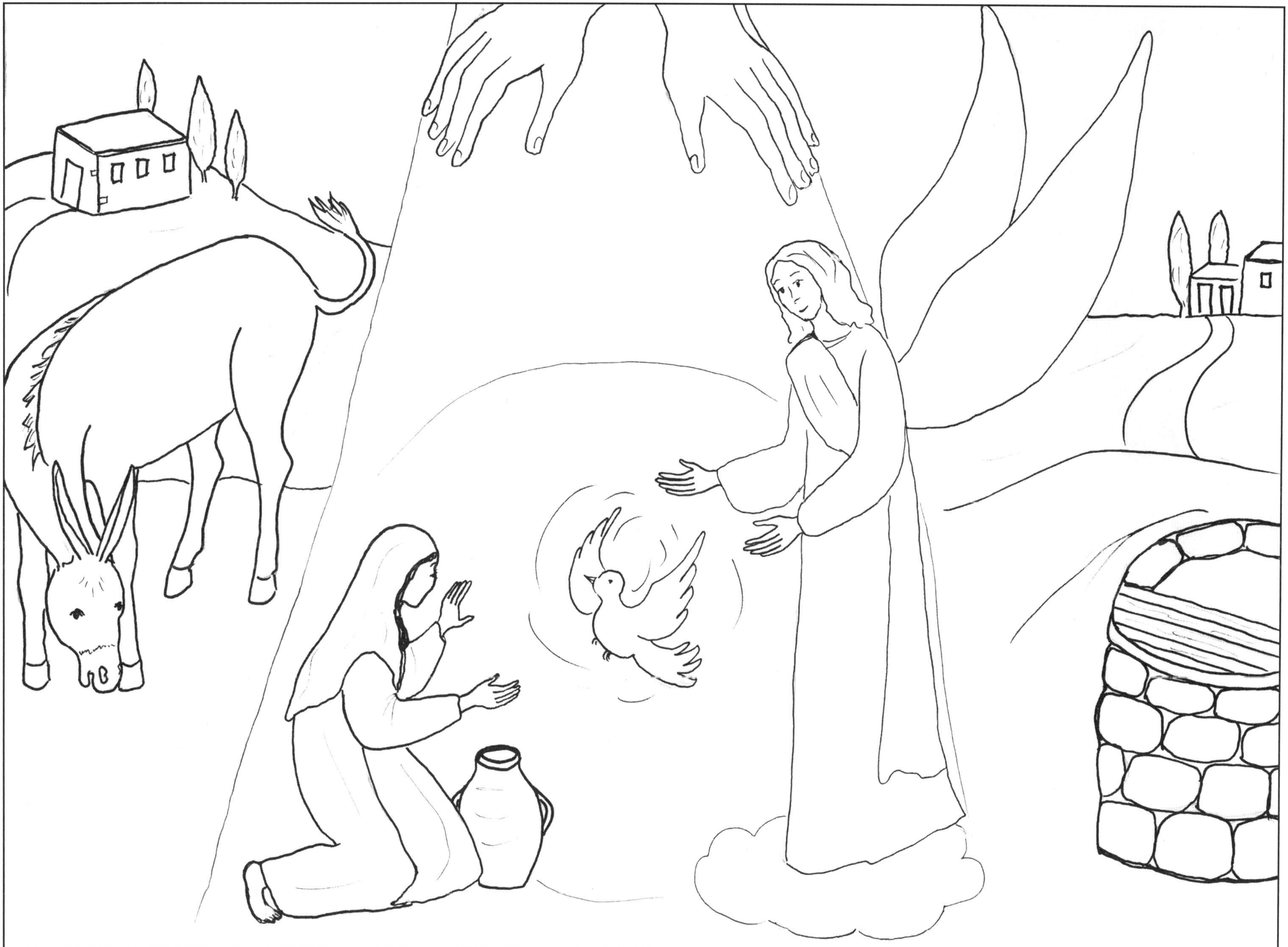

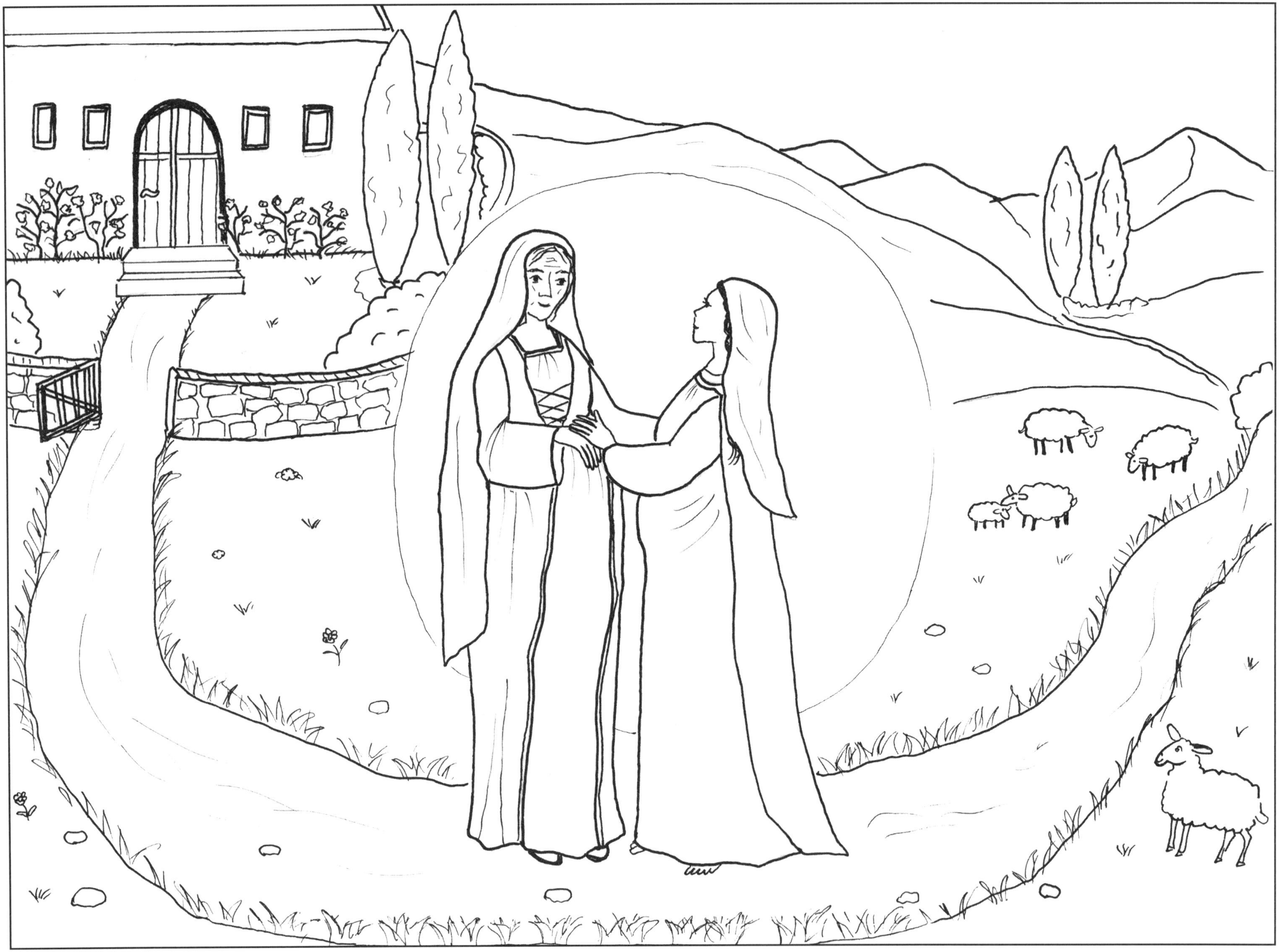

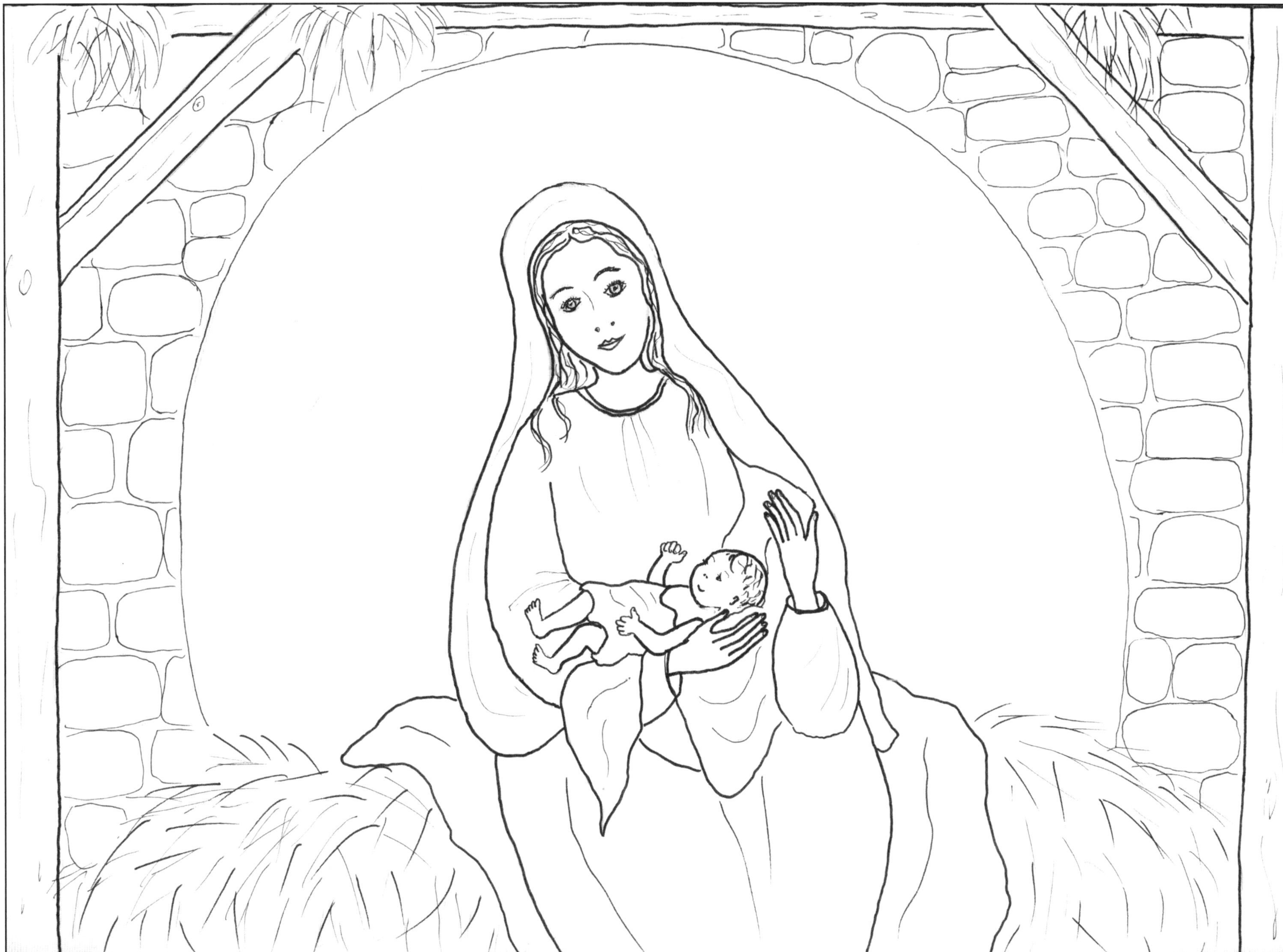

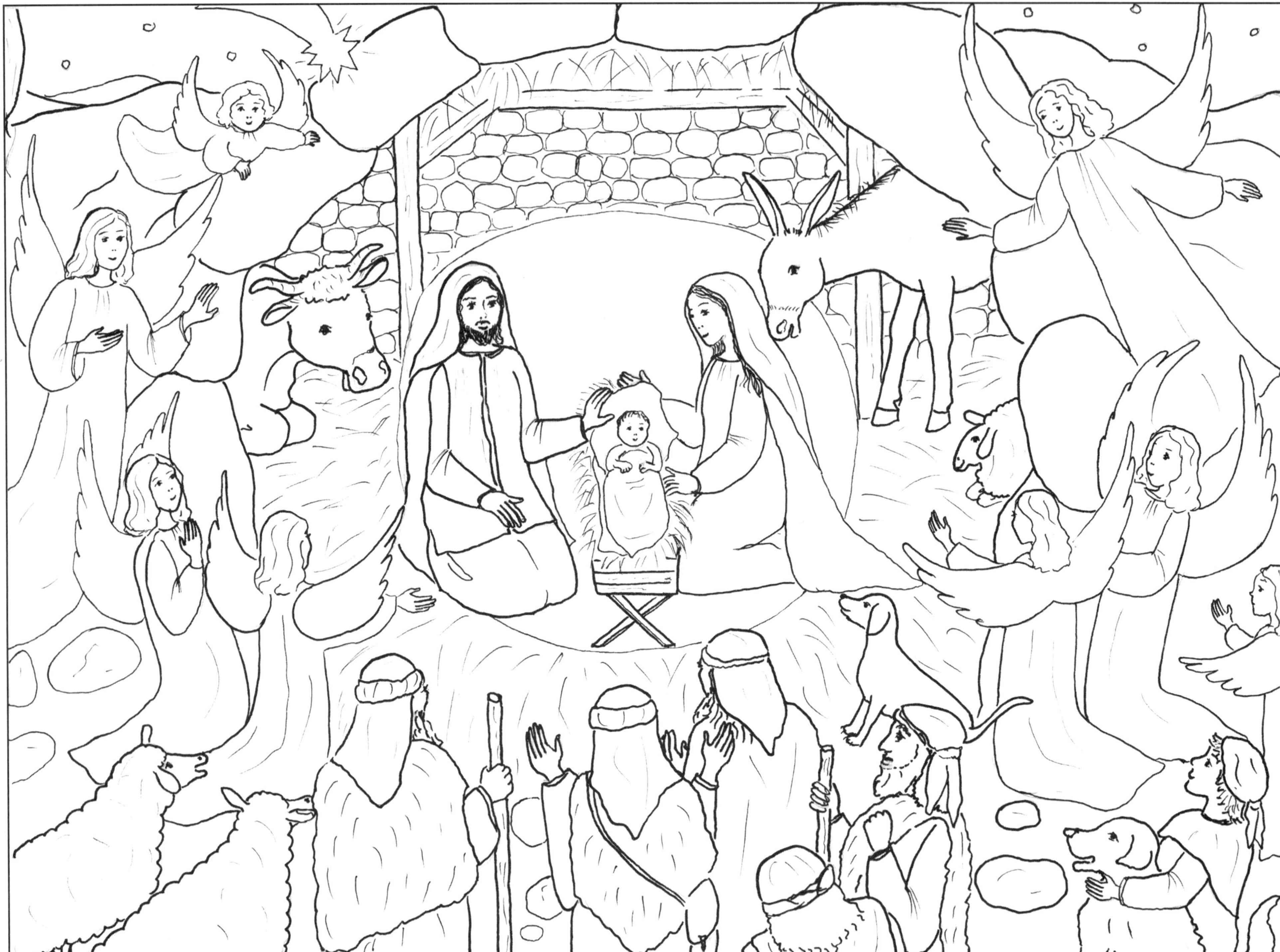

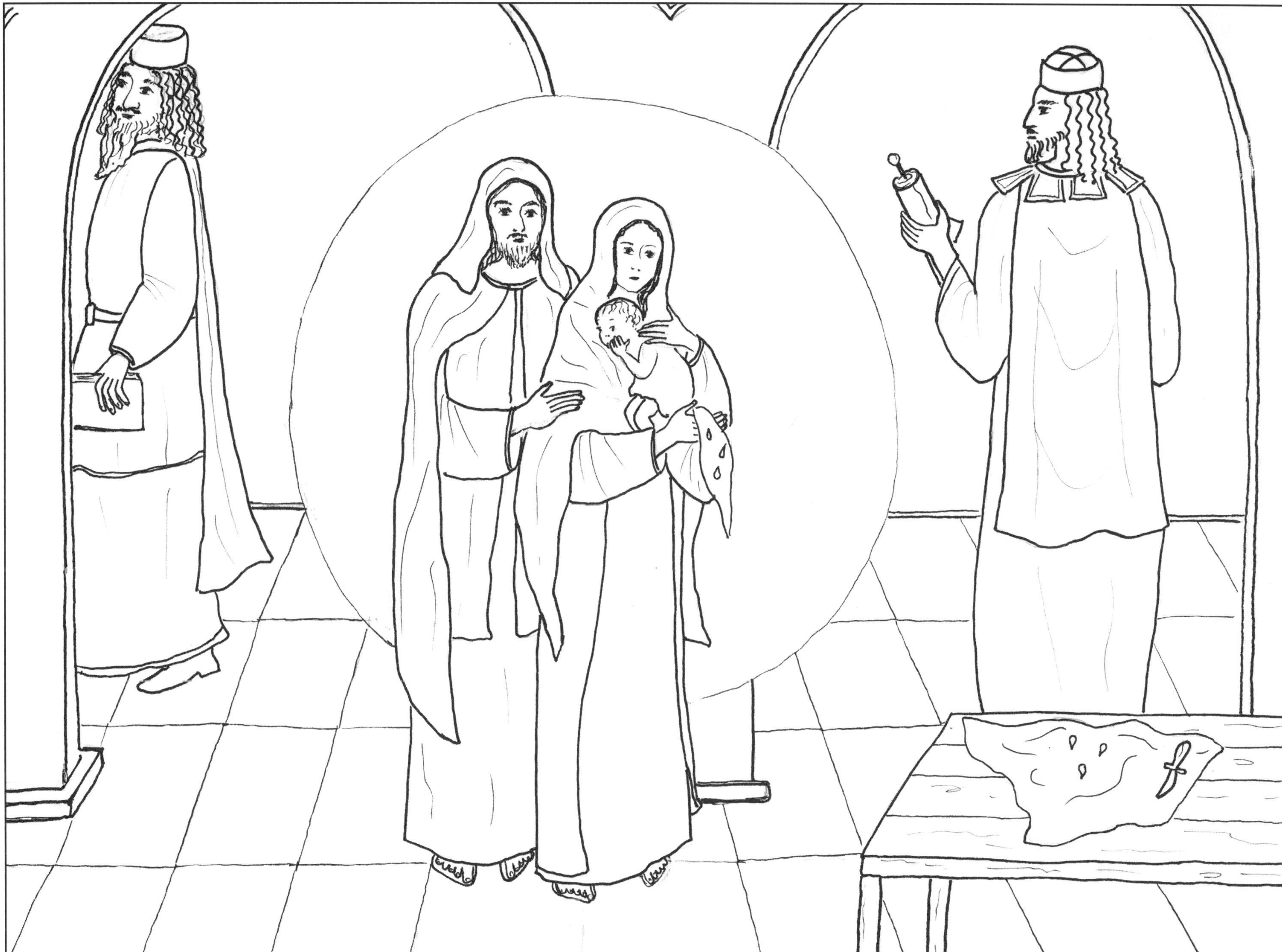

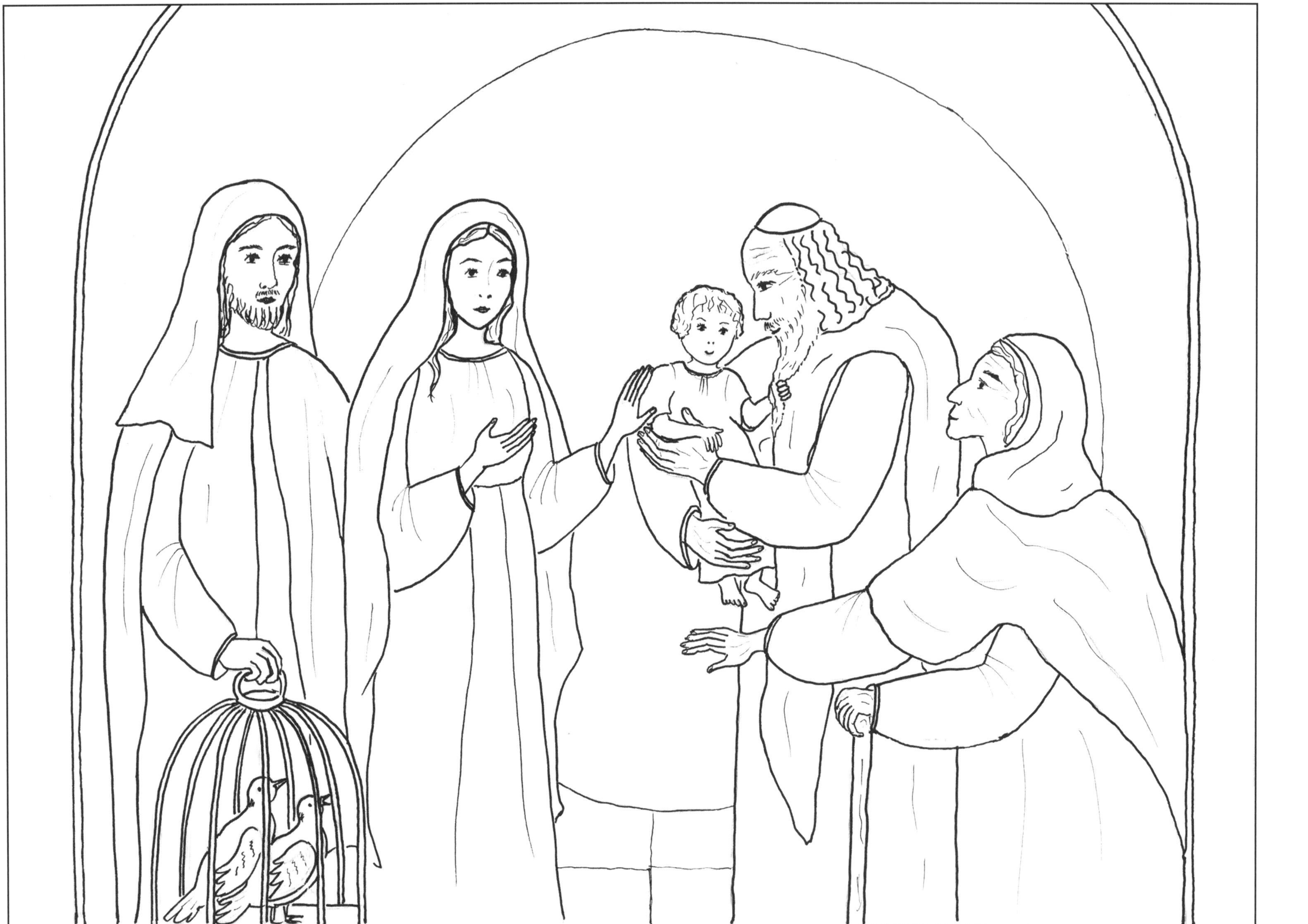

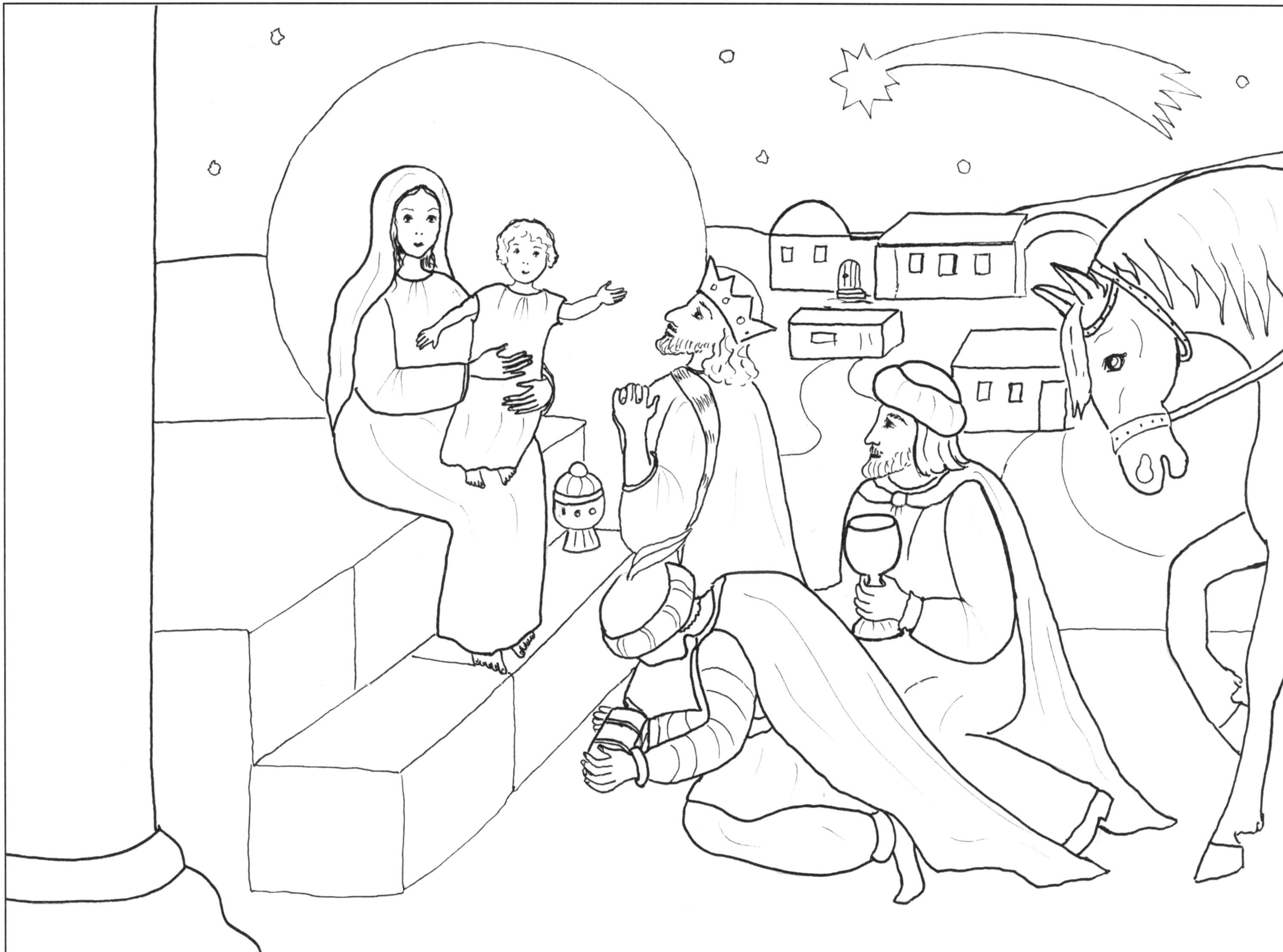

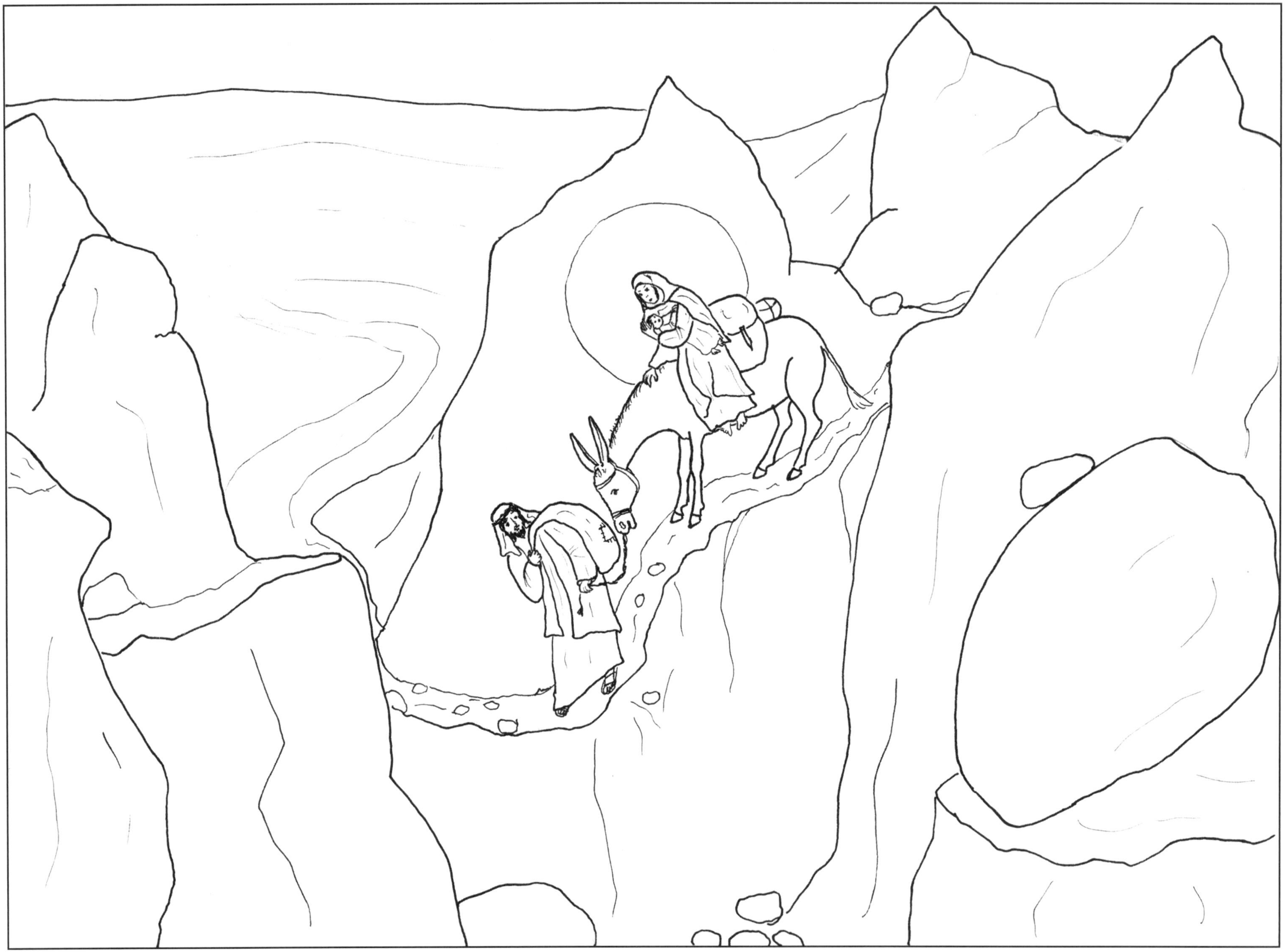

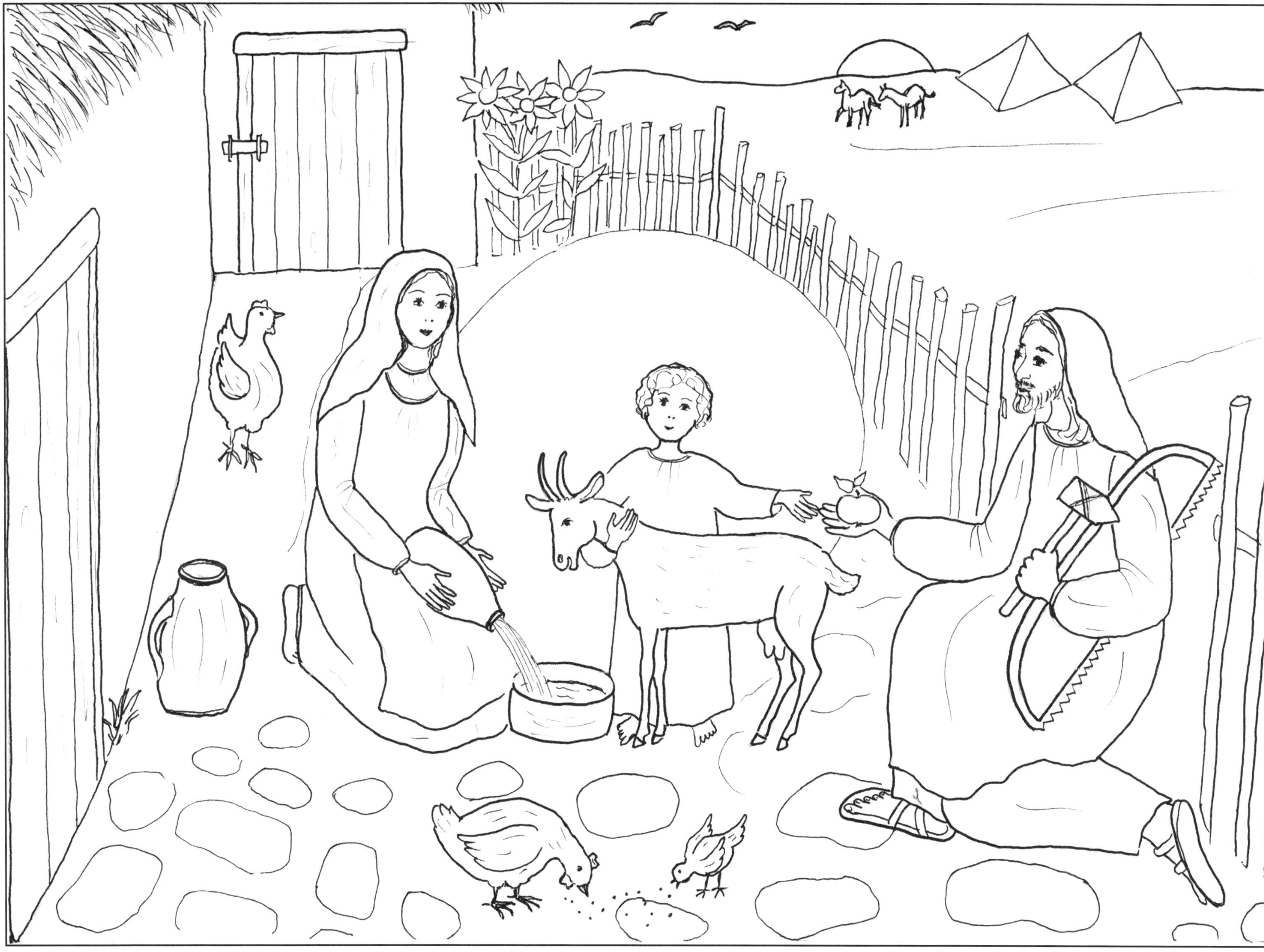

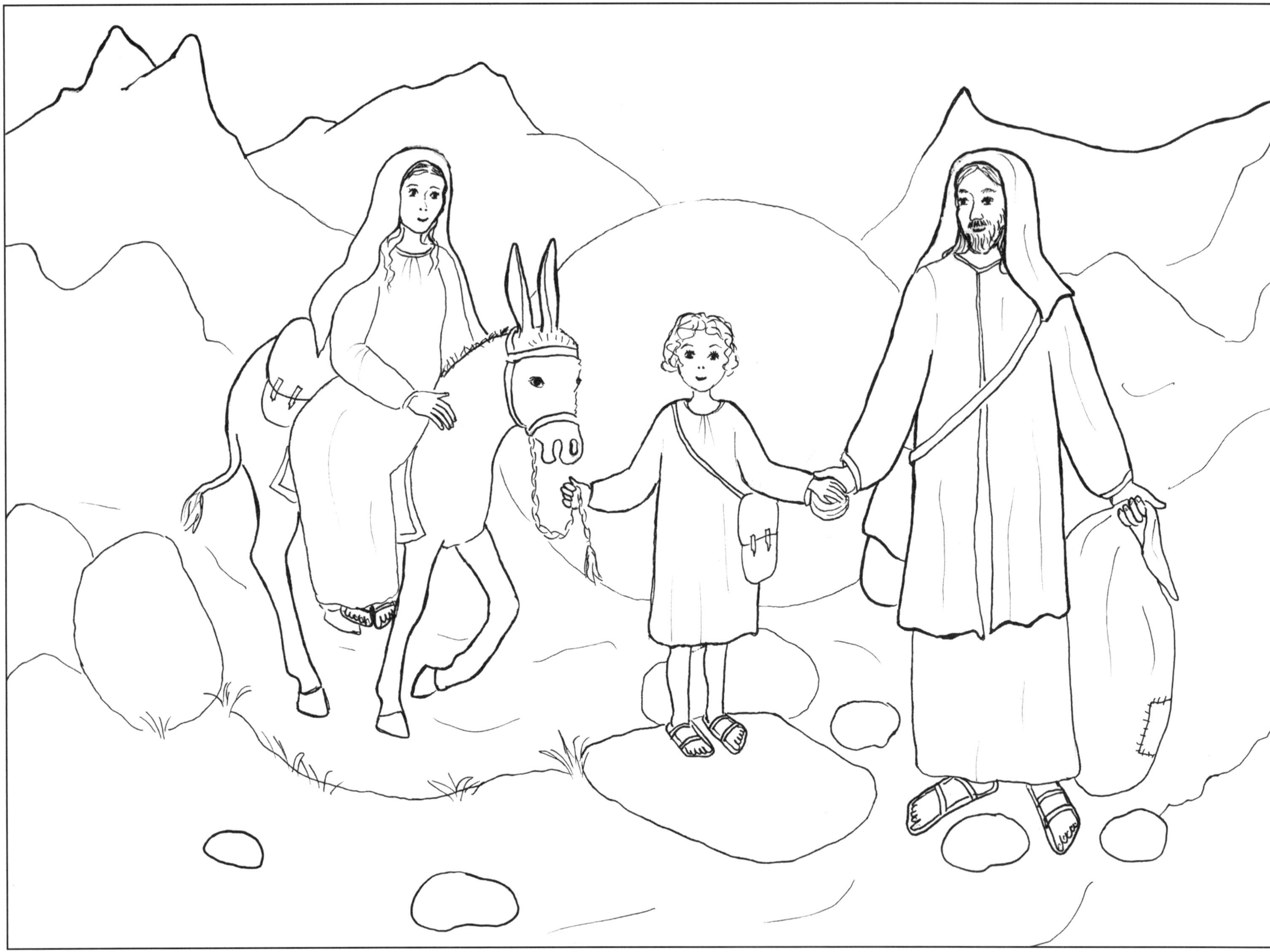

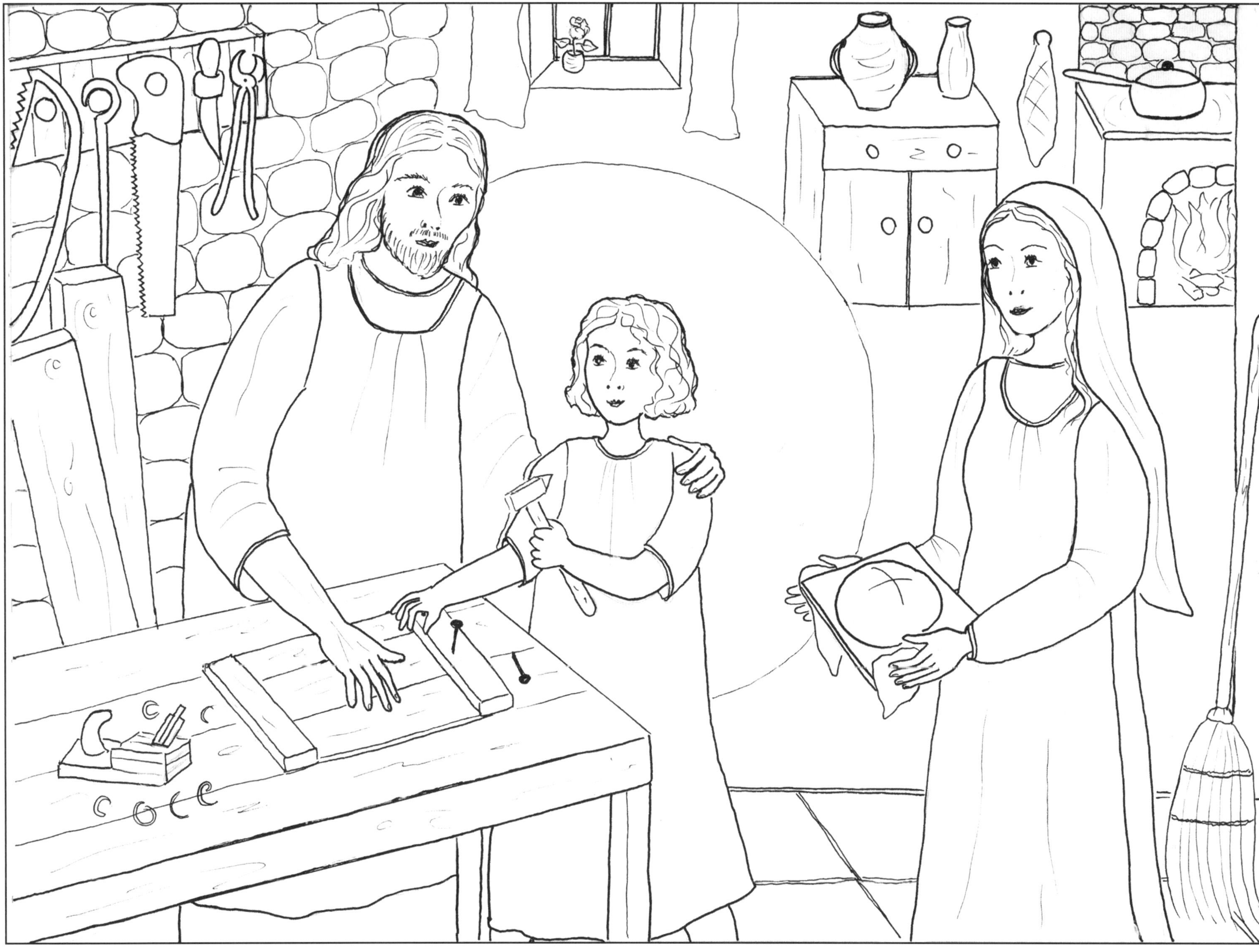

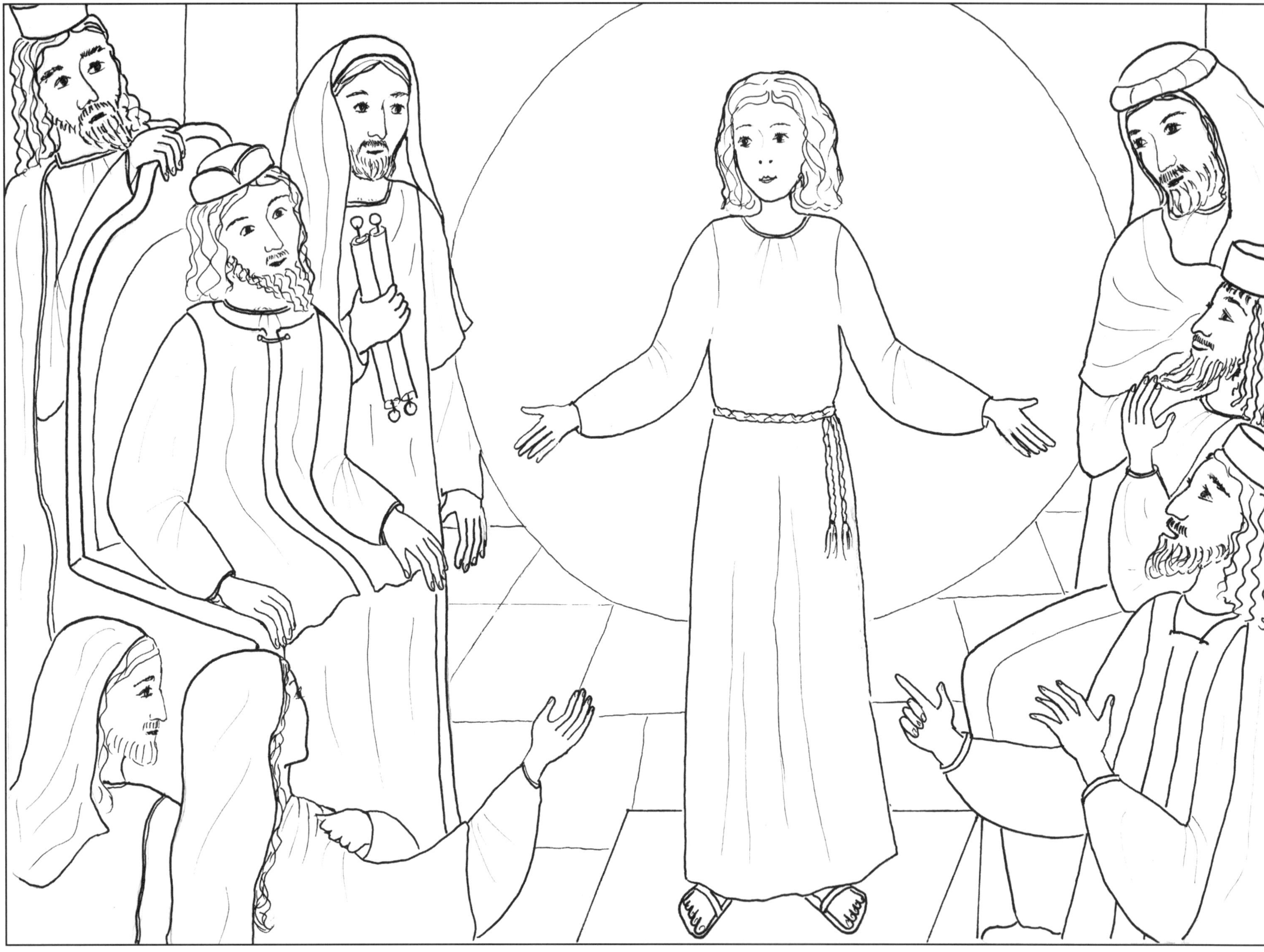